MISSION : ADOPTION

LOLA

MISSION : ADOPTION

Fais connaissance avec les chiots de la collection *Mission : Adoption*

Babette
Bandit
Belle
Bibi
Biscuit
Boule de neige
Bulle et boule
Cannelle
Carlo
Champion
Chichi et Wawa
Chocolat
Éclair
Fibi
Filou
Glaçon
Guimauve
Husky
Lola
Lucie
Maggie et Max
Margot
Moka
Mona
Oscar
Nala
Patou
Pico
Praline, Caramel et Nougat
Presto
Princesse
Rascal
Réglisse
Rocky
Rosie
Théo
Titan
Tony
Turbo
Zigzag

MISSION : ADOPTION

LOLA

Texte français d'Isabelle Fortin

Éditions
SCHOLASTIC

Pour Scarlett

Catalogage avant publication de Bibliothèque et Archives Canada

Miles, Ellen
[Lola. Français]
Lola / Ellen Miles ; texte français d'Isabelle Fortin.

(Mission, adoption)
Traduction de: Lola.
ISBN 978-1-4431-6886-1 (couverture souple)

I. Titre. II. Titre: Lola. Français. III. Collection: Miles, Ellen. Mission, adoption.

PZ26.3.M545Lo 2018 j813'.6 C2018-901080-0

Illustration de la couverture : Tim O'Brien
Conception graphique de la couverture originale : Steve Scott

Édition publiée par les Éditions Scholastic,
604, rue King Ouest, Toronto (Ontario) M5V 1E1

5 4 3 2 1 Imprimé au Canada 121 18 19 20 21 22

CHAPITRE UN

— Ces rapides ont l'air terrifiants, capitaine Sam! s'exclama Charles en désignant le ruisseau tumultueux qui dévalait sur des cailloux aux couleurs vives et des pierres recouvertes de mousse.

— Nous avons vu pire, capitaine Charles, répondit son ami Sammy. Qu'en pensez-vous, capitaine David? Arriverons-nous à les franchir?

— Oui, capitaine, dit David en faisant un salut militaire. J'ai exploré les environs ce matin et je crois avoir trouvé une façon de traverser. Nous parviendrons peut-être même à la source de ce cours d'eau.

Les trois amis commencèrent à remonter le ruisseau en avançant prudemment de pierre en pierre. La mousse vert vif était très glissante. Ils l'avaient appris à leurs dépens la veille, lorsque David était tombé. Son jean et ses souliers avaient été si mouillés qu'ils avaient dû annuler l'expédition pour la journée.

L'exploration était l'activité la plus amusante qu'ils avaient faite depuis longtemps. Tout avait commencé à l'école. Charles Fortin et ses deux meilleurs amis étaient dans le groupe 2B, c'est-à-dire la classe de deuxième année de M. Lazure. Ce dernier était le meilleur enseignant du monde. Il était drôle et gentil, et ne criait presque jamais. De plus, il avait toujours quelque chose d'excitant à leur proposer. Ce mois-ci, ils étudiaient les explorateurs.

Bien sûr, ils avaient parlé de Christophe Colomb, que tout le monde connaissait au moins depuis la maternelle. Mais ils avaient aussi découvert Amelia Earhart, une aviatrice qui avait disparu mystérieusement lors d'un vol, ainsi qu'Ernest Shackleton, dont l'expédition avait parcouru les contrées glacées de l'Antarctique.

Tous les explorateurs qu'ils avaient étudiés semblaient fantastiques. Mais selon Charles, David et Sammy, les explorateurs les plus incroyables de tous les temps étaient Lewis et Clark. Partis de Saint-Louis, au Missouri, ils avaient traversé tout l'Ouest américain et tracé la voie jusqu'à l'océan Pacifique. En chemin, ils avaient appris de nombreuses choses sur les plantes, les animaux et les habitants des régions parcourues. Avec leur groupe, ils avaient remonté des rivières et franchi des montagnes. Ils avaient rencontré des grizzlys, des bisons et dû affronter toutes les situations possibles et imaginables.

Quand M. Lazure avait divisé la classe en équipes et demandé à chacune d'elles de choisir une expédition, Charles et ses amis n'avaient pas hésité une seconde : ils avaient opté pour celle de Lewis et Clark. Ils avaient immédiatement commencé leurs recherches et avaient déjà appris beaucoup de choses.

Leurs jeux d'exploration avaient débuté la semaine précédente, par un beau samedi frais et ensoleillé d'automne. Les trois garçons s'étaient réunis chez David pour travailler sur leur présentation. Puis ils étaient allés jouer dehors.

— Regardez, avait lancé Sammy en montrant le ruisseau qui coulait au fond de son jardin. C'est une rivière puissante. Devrions-nous tenter de remonter à sa source?

Ils venaient d'apprendre que la source d'une rivière correspondait à l'endroit où elle naissait, juste avant que d'autres ruisseaux ne se joignent à elle pour créer un cours d'eau plus puissant. La première partie de l'expédition de Lewis et Clark avait consisté à remonter la rivière Missouri jusqu'à sa source.

— Ce sera un voyage périlleux, avait répondu Charles en se prêtant tout de suite au jeu. Il va nous falloir beaucoup de provisions.

— Je suis partant, avait ajouté David. Je me suis toujours demandé où commençait ce ruisseau.

La première journée, les explorateurs n'étaient pas allés loin. Ils avaient suivi un sentier boueux qui bordait le ruisseau. Charles connaissait bien cette section de la «rivière». David et lui avaient déjà passé beaucoup de temps à chercher un chien errant apeuré dans ce sous-bois assez dense. Ils avaient finalement retrouvé le petit bâtard blanc négligé et s'étaient occupés de lui jusqu'à ce qu'ils retrouvent sa famille.

Ce chiot nommé Patou n'était qu'un des nombreux chiens dont la famille de Charles avait pris soin. En effet, les Fortin accueillaient des chiots le temps de leur trouver un foyer parfait. En ce qui concernait Patou, ils l'avaient juste gardé en attendant de découvrir à qui il appartenait.

La grande sœur de Charles, Rosalie, était folle des chiens. Son jeune frère, le Haricot, les aimait également beaucoup. Sa mère, qui était journaliste, préférait les chats, mais elle avait heureusement un petit faible pour les chiots. Enfin, son père, qui était pompier, était toujours prêt à aider les gens ou les animaux dans le besoin. À eux cinq, ils formaient une famille d'accueil formidable. Bien sûr, il n'était jamais facile de dire au revoir aux chiots dont ils s'étaient occupés, mais Charles comprenait bien le rôle temporaire qu'ils jouaient. De toute façon, ils avaient déjà gardé un des chiots qu'ils avaient accueilli : Biscuit, le meilleur chien du monde! C'était le plus mignon, le plus gentil et le plus adorable de tous les chiens... et il était là pour de bon.

Tandis qu'il se frayait un chemin le long du ruisseau, Charles souriait. Il pensait à Biscuit et se disait que le petit bâtard brun adorerait se promener dans ce sous-bois. Ce jour-là, les explorateurs s'étaient rendus beaucoup plus loin que les autres fois. Ils avaient atteint la fin du sentier boueux et entraient désormais en territoire inconnu. Le soleil était absent. Le ciel était couvert de nuages sombres. Mais Charles et ses amis ne s'inquiétaient pas de la météo. Les courageux explorateurs avaient tout prévu : ils portaient chacun un sac à dos rempli de provisions (pommes, craquelins, chocolat et gourde d'eau) et d'autres objets (lampe de poche, au cas où ils seraient surpris par l'obscurité, trousse de premiers soins, boussole et journal d'expédition officiel). Si Biscuit les avait accompagnés, il aurait aussi pu porter lui-même son eau et sa nourriture. Charles se dit qu'il l'emmènerait lors de la prochaine expédition.

— Est-ce qu'il y avait des chiens dans l'expédition de Lewis et Clark? demanda-t-il à Sammy, qui servait de guide ce jour-là.

— Je ne sais pas, mais nous pourrions sûrement trouver l'information, répondit Sammy tandis qu'il franchissait un buisson de ronces et retenait une branche pour éviter que Charles ne la reçoive en plein visage.

— Je suis certain qu'il n'y avait pas de chats, affirma David. Pistache reste toujours le plus loin possible de ce ruisseau, euh... je veux dire de cette rivière puissante.

Pistache était la chatte de David. Elle était si timide que Charles ne l'avait vue qu'en de rares occasions.

— Comment va-t-elle, d'ailleurs? s'enquit Charles.

— Elle se cache beaucoup sous mon lit,

dernièrement, fit David. Je suppose qu'elle n'aime pas trop les cris.

Il se pencha pour ramasser une pierre, puis se releva et la lança dans le ruisseau.

— Qui est-ce qui crie? demanda Charles.

David haussa les épaules.

— Mon père et ma mère. Ils se disputent. Rien de grave, je pense. Depuis que mon père a perdu son emploi, ils ne semblent jamais d'accord... Mais ce n'est rien. Oubliez ça.

Il avait dit cela en baissant le ton de sa voix jusqu'à ce qu'on ne l'entende presque plus. Il s'arrêta et ramassa une autre pierre.

Charles et Sammy se regardèrent. David avait l'air malheureux, mais il semblait ne plus vouloir en parler. Charles se dit qu'il était temps de changer de sujet.

— Hé! Regardez, dit-il. Une chute géante! Nous allons devoir faire un portage pour la contourner. Rassemblez les hommes, capitaine Sam.

La « chute géante » n'était en fait qu'un filet d'eau

un peu plus puissant qui franchissait quelques pierres. Elle se révéla une diversion efficace. Les garçons se mirent à explorer les routes possibles et à planifier le portage. Il faudrait décharger les bateaux (imaginaires) et demander à d'autres membres du groupe (également imaginaires) de les transporter en amont pendant que d'autres explorateurs (tout aussi imaginaires) traîneraient les provisions et l'équipement pour monter un camp.

— Nous ne finirons jamais le portage avant la tempête, annonça Sammy en observant les nuages sombres qui obscurcissaient le ciel. Capitaine Charles, ordonnez aux hommes de préparer le campement.

— Oui, capitaine, répondit Charles.

Sammy se redressa en tendant l'oreille.

— Hé! Quel est ce bruit? demanda-t-il.

Dans le lointain, on entendait s'élever une plainte aiguë. Un cri perçant, même. Ce son déchira le cœur de Charles. Il savait exactement de quoi il s'agissait : d'un chien en difficulté.

CHAPITRE DEUX

— C'est un louveteau orphelin qui hurle en territoire inexploré, répondit Sammy, toujours dans son rôle de capitaine Sam.

— Ou un coyote, suggéra David. Ou un chien de prairie. Est-ce qu'ils crient?

Charles secoua la tête.

— C'est un chien, affirma-t-il.

Il avait laissé tomber son personnage de capitaine. Il n'était plus que Charles.

— Et ce n'est pas un chien heureux, ajouta-t-il. Nous devons le trouver.

Ce cri était insupportable. Charles savait que les chiens ne se plaignaient ainsi que quand ils étaient blessés, terrifiés ou les deux. Un jour, Biscuit avait marché sur une épine qui s'était profondément enfoncée dans sa patte. Il avait gémi et hurlé jusqu'à ce que le père de Charles la lui retire. Charles n'avait jamais oublié cet incident.

— Le son doit venir de ce peuplement à l'est, fit Sammy en montrant une rangée de maisons lointaines dont on apercevait à peine les toits.

Sammy ne semblait pas prêt d'abandonner son personnage d'explorateur.

— Nous allons nous frayer un chemin à travers la forêt et sauver ce pauvre animal. En route, messieurs!

Charles traversa le ruisseau en sautant rapidement d'une pierre à l'autre, David et Sammy à sa suite. Il pénétra dans la forêt. Il n'y avait pas de sentier. Il avançait dans les broussailles, ignorant les épines qui s'accrochaient à ses manches et lui piquaient les mains. Les arbres se dressaient si haut que tout semblait encore plus sombre. Charles sentit le rythme de son cœur s'accélérer. Et s'ils se perdaient? David avait la boussole dans son sac, mais aucun d'eux ne savait vraiment l'utiliser. Puis Charles entendit de nouveau le hurlement, un cri perçant dans lequel on percevait l'urgence.

— Par là! fit-il en pointant le doigt vers la droite. Ça vient de cette direction.

Il se mit à courir, en prenant soin d'éviter les arbres, les pierres et les racines. Il ne s'inquiétait pas de savoir si David et Sammy le suivaient. Il devait trouver ce chien.

— Hé! Un sentier! s'exclama David. Nous devrions peut-être le suivre!

Charles se retourna et constata que son ami avait raison. Il n'y avait pas prêté attention, mais un petit chemin de terre se dessinait, comme si des gens avaient coupé des branches et repoussé les ronces sur le côté pour pouvoir accéder facilement au ruisseau.

— Ce n'est plus une expédition si nous suivons un sentier, protesta Sammy.

— Nous ne sommes plus des explorateurs, dit Charles. Nous devons trouver ce chien.

Les gémissements ne cessaient pas et il ne pouvait pas les supporter une seconde de plus. Il s'engagea sur le sentier et se mit à courir à toute allure. Les sangles de son sac rebondissaient sur ses épaules. Le son semblait se rapprocher. Charles était convaincu d'avoir pris la bonne direction.

Soudain, les trois garçons se retrouvèrent dans un espace ouvert. En fait, c'était un jardin, un simple jardin. Il y avait une balançoire, un cabanon et un potager clôturé.

— Le peuplement, lança Sammy.

— Ce n'est que la rue des Érables, répondit David.

Charles se moquait de savoir si c'était un peuplement ou un quartier normal. Tout ce qu'il voulait, c'était trouver ce chien.

— Par là, dit-il après avoir prêté l'oreille un instant.

Ils traversèrent le jardin où ils étaient arrivés, puis trois autres. Le premier avait une piscine, le deuxième une rocaille et le troisième une pelouse qui avait bien besoin d'être tondue. Chaque jardin qu'ils franchissaient les rapprochait du chien en détresse.

— Là! s'écria Charles en désignant du doigt une petite maison bleu pâle au bout de la rue.

Il se remit à courir.

Une fois plus près, il constata qu'une corde avait été tendue entre la maison et la remise, qu'un fil était attaché à la corde... et qu'au bout du fil se trouvait un chien.

Ou plutôt, un chiot. Une minuscule chienne noire et blanche avec une adorable face aplatie et de drôles d'oreilles de chauve-souris. À la vue de Charles, l'animal dressa les oreilles et cessa de hurler pendant un instant. Puis il reprit de plus belle. Il allait et venait entre la maison et la remise en gémissant.

Sous la corde, un petit chemin sec et poussiéreux s'était formé. Charles ne vit ni eau, ni nourriture, ni aucun abri, à l'exception de la remise dont la porte était fermée. Tout était fermé du côté de la maison aussi. À l'évidence, il n'y avait personne.

— Ça n'a aucun sens, dit-il en secouant la tête. Comment peut-on laisser un si jeune chiot seul toute la journée?

David enleva son sac et le laissa tomber par terre. Il s'approcha lentement du chiot en tendant la main.

— Ça va aller, fit-il doucement. Ça va aller, ma petite.

Rosalie disait parfois de David qu'il chuchotait à l'oreille des chiots. Il semblait savoir exactement quel ton emprunter pour les rassurer.

La petite chienne arrêta de geindre un instant. Elle cessa également de courir et regarda David, la tête inclinée.

Est-ce que je peux te faire confiance?

Charles et Sammy retirèrent aussi leur sac.

— La pauvre, dit Sammy.

Il semblait finalement avoir oublié son personnage de capitaine Sam.

— Que fais-tu ici toute seule?

Il s'approcha de l'animal, qui bougea les oreilles, puis fila et se remit à courir d'un bout à l'autre du terrain.

— Attention, fit David. Elle est effrayée.

Charles jeta de nouveau un œil vers la maison bleue. Les stores et la porte étaient fermés. Il n'y avait vraiment personne.

On entendit alors un grondement lointain qui semblait provenir du ciel chargé de nuages sombres. La petite chienne, qui courait toujours, se remit à gémir.

Charles regarda en l'air. Les orages étaient plutôt rares à cette période de l'année. Pourtant, il était certain qu'il s'agissait du tonnerre. Le ciel s'était complètement assombri.

— Que devons-nous faire? demanda-t-il. Nous ne pouvons pas la laisser là. Elle va être trempée.

David s'agenouilla et ouvrit les bras.

— Viens ici, ma petite, appela-t-il.

La petite chienne cessa de gémir et de courir. Elle dressa les oreilles. Lentement, elle fit trois petits pas vers David.

Aide-moi, s'il te plaît. Je suis toute seule et j'ai peur.

— Nous allons l'emmener chez moi, annonça David. Voilà ce que nous allons faire.

CHAPITRE TROIS

— Nous ne pouvons pas simplement partir avec elle, fit Charles.

Mais en disant cela, il se rendit compte que David avait raison. Ils ne pouvaient pas non plus laisser la pauvre bête ici. Elle était terrifiée. Et si petite. Elle serait bientôt trempée, grelottante… et seule.

— D'accord, acquiesça-t-il en laissant échapper un gros soupir. Nous allons la prendre. Mais comment? Nous n'avons ni laisse, ni corde, ni quoi que ce soit d'autre.

— Je vais la transporter, répondit David. Je la mettrai dans mon sac.

— Il va falloir commencer par l'attraper, fit remarquer Sammy.

Pendant qu'ils discutaient, la petite chienne s'était éloignée de David et courait d'un bout à l'autre du terrain en jappant à tue-tête.

Charles sentit une goutte lui tomber sur le nez. Il leva la tête et en sentit trois de plus sur son visage : *plic, ploc, plouc.* Le tonnerre gronda de nouveau, plus fort, cette fois.

— Si l'un de vous deux arrive à saisir le fil quand elle passe, ça va l'arrêter, dit Sammy. Et alors, je pourrai l'attraper.

— Non, il ne faut pas l'attraper comme ça, rétorqua David. Même s'il faut un peu plus de temps, nous devons le faire en douceur. Elle est trop effrayée.

Charles la regardait courir. Elle avait de grands yeux apeurés, et ses grosses oreilles retombaient vers l'arrière. On aurait dit une créature sauvage, terrifiée à l'idée d'être capturée.

— D'accord, convint-il. Mais nous n'avons pas toute la journée non plus. Il va se mettre à pleuvoir d'une minute à l'autre.

— Peut-être que l'idée d'attraper le fil n'est pas

mauvaise, reconnut David. Si je peux le faire de façon à ne pas l'effrayer, nous l'amènerons près de nous et lui montrerons qu'elle peut nous faire confiance.

Il avança lentement vers la corde, étira doucement le bras et attendit que le chiot approche.

— Je l'ai, chuchota-t-il.

— Mettons-nous par terre et restons silencieux pour qu'elle sache que nous n'allons pas lui faire de mal, proposa Charles.

Les garçons s'assirent, formant comme un cercle autour du chiot. L'animal parut encore plus affolé et essaya de se sauver, mais David ne lâcha pas le fil.

— Tout doux, petite, murmura David. Tout doux. Nous voulons seulement t'aider.

Il pleuvait de plus en plus. Du petit chemin tracé par la chienne s'élevait une odeur de terre mouillée. Un nouveau coup de tonnerre retentit et elle recommença à trembler et à gémir. Elle recula tout contre la jambe de Charles. Le garçon étira lentement le bras, très lentement. Il la toucha délicatement. La petite chienne tressaillit, puis se détendit quand elle sentit qu'on décrochait l'attache de son collier.

— Je pense qu'elle va nous laisser faire, chuchota Charles.

Il avança l'autre main, puis il prit la chienne avec douceur et la colla contre sa poitrine. Elle était minuscule et légère comme une plume.

— Oui! murmura David.

— Ouvre ton sac à dos, dit calmement Charles.

Sammy enleva son chandail.

— Nous pouvons l'envelopper avec ça, dit-il en le tendant à son ami.

Une fois qu'elle fut bien emmitouflée dans le doux chandail vert, Charles la déposa dans le sac à dos de David.

David remit son sac, mais à l'envers, pour que le chiot soit à l'avant. On ne voyait plus que ses deux grands yeux terrifiés et ses drôles d'oreilles de chauve-souris.

— C'est parti, annonça David.

Il se retourna et partit dans la direction opposée à

celle d'où ils étaient arrivés.

— Attends! Où vas-tu? s'enquit Charles.

Il pensait qu'ils allaient reprendre le sentier jusqu'au ruisseau, puis le suivre jusqu'au jardin de David.

— Il suffit de prendre la rue des Érables jusqu'à la rue des Ormes, lança David par-dessus son épaule.

Charles eut presque envie de rire, malgré l'orage et le chiot terrifié. Bien sûr, leur expédition ne les avait pas conduits au plus profond d'une région sauvage. Tout cela n'avait été qu'un jeu et ils ne se trouvaient en réalité qu'à quelques pâtés de maisons de chez David.

Les garçons marchèrent jusqu'à la rue. Charles se retourna une dernière fois vers la maison bleue. Que penseraient les propriétaires quand ils arriveraient chez eux et découvriraient que leur chienne n'était plus là? Il imagina comment il se sentirait si Biscuit disparaissait soudainement. Mais est-ce que ces gens se souciaient autant de leur chiot que lui de Biscuit? Impossible. Autrement, ils ne le laisseraient pas attaché au bout de cette corde toute la journée.

Pourtant, il ne lui semblait pas correct non plus de prendre le chiot sans explication.

— Attends, dit-il à David. Nous devrions au moins laisser une note. Avec ton numéro de téléphone.

Charles enleva son sac et fouilla dedans jusqu'à ce qu'il trouve le carnet de bord et un crayon. Il déchira une page et gribouilla rapidement un message : *Votre chienne avait peur de l'orage. Nous l'avons amenée chez nous.* Il ajouta ensuite le numéro de téléphone que lui dicta David.

Le tonnerre continuait de gronder et une pluie froide tombait maintenant à grosses gouttes et de plus en plus fort.

— Allez-y, fit Charles. Je vous rattrape.

Il retourna en courant à la maison bleue et coinça la note entre la moustiquaire et la porte d'entrée. Puis il repartit en sens inverse et courut encore plus vite pour rattraper David et Sammy. Ses souliers de course faisaient un bruit de succion et son sac rebondissait dans tous les sens dans son dos. Il était trop pressé pour ajuster les sangles. Après avoir rejoint ses amis, ils continuèrent tous les trois de courir sans parler. Quand ils tournèrent dans la rue des Ormes, le cœur de Charles battait très fort. La maison de David était au bout de la rue. Juste avant d'arriver, David s'arrêta.

— Attendez, dit-il. Nous allons passer directement par la porte du sous-sol. Ça va nous laisser plus de temps.

— Du temps pour quoi? demanda Sammy.

— Pour réfléchir à ce que nous allons faire ensuite, répondit-il en baissant les yeux vers le chiot qu'il portait sur la poitrine.

La petite chienne s'était blottie dans le sac à dos. On ne voyait plus que ses drôles d'oreilles qui semblaient appartenir à un chien beaucoup plus gros. Elle sortit un peu la tête et, tandis qu'elle flairait l'air, ses grandes oreilles triangulaires pivotaient d'un côté puis de l'autre.

Où sommes-nous? Que va-t-il se passer maintenant?

À la vue de cette adorable petite tête blanche et noire, Charles sentit son estomac se nouer. Ses amis et lui venaient juste de faire quelque chose qui était à la fois vraiment mal et vraiment bien. Comment était-ce possible?

CHAPITRE QUATRE

Les garçons se dirigèrent vers le côté de la maison. Sammy et Charles agrippèrent chacun l'une des poignées des grosses portes de métal qui couvraient les marches menant au sous-sol.

— Prêt, capitaine? demanda Charles. Oh! hisse!

Ils tirèrent de toutes leurs forces et réussirent à ouvrir les lourdes portes.

David disparut dans l'escalier, puis appela doucement les autres.

— Venez! C'est bon. La porte intérieure n'est pas verrouillée.

— Devrions-nous refermer les portes? s'enquit Charles une fois qu'ils furent tous dans l'escalier.

David secoua la tête.

— Elles sont trop lourdes. Je demanderai à mon père de le faire dans quelques minutes. Commençons par installer la chienne confortablement.

Ils étaient soulagés de ne plus être sous la pluie battante. Contrairement au sous-sol des Fortin, qui était sombre et humide, et abritait une chaudière qui cliquetait sans cesse, celui de David était chaud et sec. Il avait été aménagé en salle de sport et renfermait toutes sortes d'appareils disposés sur des matelas bleus bien moelleux. David retira son sac et le déposa doucement sur le plancher, puis il enleva son manteau trempé et le suspendit à un vélo stationnaire. Charles retira aussi son manteau, tout aussi mouillé. Il l'étendit sur le rameur. Sammy, qui ne portait qu'un tee-shirt détrempé, se croisa les bras sur la poitrine.

— J'ai besoin de mon chandail, dit-il. J'ai vraiment froid. Sors la chienne de ton sac.

— Dans une minute. Asseyons-nous encore pour ne pas lui faire peur, suggéra David. Puis je la ferai sortir et elle pourra explorer le sous-sol.

Ils s'assirent en cercle autour du sac. David ouvrit le rabat et le poussa un peu vers le bas pour que la petite chienne voie facilement à l'extérieur. Elle fixa tour à tour chacun des garçons. La peur se lisait toujours dans ses yeux. Elle dressa lentement une oreille, puis l'autre et regarda autour d'elle. Elle les fit ensuite pivoter, comme si elle captait une sorte de signal.

Que se passe-t-il? Où suis-je?

Elle n'essaya même pas de sortir du sac. Quand David se pencha en avant pour l'ouvrir un peu plus, elle s'y replia, puis jeta de nouveau un regard à l'extérieur, les yeux étincelants.

— Je pense qu'elle a besoin de temps pour s'habituer, fit Sammy, l'air un peu déçu. Je pensais qu'elle serait heureuse d'être à l'intérieur.

— Elle est encore plus timide que Pistache, dit Charles.

— Pistache! s'exclama David en mettant la main

devant sa bouche. Oh non! J'espère qu'elle n'est pas en bas. Elle se promène souvent dans le sous-sol, dernièrement. Elle a un petit lit fait de vieilles serviettes près de la chaudière.

Il fit *pssit, pssit.*

— Pistache? Es-tu ici?

On entendit un bruissement dans un coin du sous-sol et Pistache apparut en bâillant et en s'étirant. La jolie chatte avait des poils courts et brillants où se mêlaient des teintes de brun, de noir et de blanc.

— Regardez bien. Elle va se sauver dès qu'elle va se rendre compte qu'il y a quelque chose dans le sac, fit David.

Mais ce ne fut pas le cas. Pistache décida plutôt de s'approcher des garçons en flairant l'air autour d'elle. Elle semblait plus curieuse qu'effrayée. Lorsqu'elle fut vraiment près du sac, le chiot s'y enfonça encore plus, si bien qu'on ne vit plus que le bout de ses oreilles.

— Waouh! lança David. C'est une première. Quelqu'un de plus effrayé que Pistache!

Il tendit la main, et Pistache alla se frotter contre lui. Elle n'était jamais timide avec David.

— Je ferais mieux d'aller la porter en haut et de dire à mes parents que nous sommes ici. Je ne veux pas que ma mère panique, pensant que je suis dehors sous l'orage.

Il se leva et prit Pistache dans ses bras. Au bas des marches, il prêta l'oreille.

— Au moins, ils ne se disputent pas, dit-il. Je reviens. Essayez de faire sortir la petite chienne.

Il monta l'escalier.

Charles et Sammy étaient tranquillement assis et observaient le sac, espérant y voir du mouvement. Après un long moment, la petite chienne sortit la tête, un peu comme une tortue émergeant de sa carapace.

— Salut, ma petite, fit Charles en tendant lentement la main. Bonjour.

Elle sortit un peu plus et flaira l'air autour d'elle comme pour s'assurer que la créature terrifiante était partie. Avec ses grands yeux et ses immenses oreilles pivotantes, elle était si drôle et si mignonne que Charles faillit éclater de rire. Mais il parvint à se retenir. Il ne voulait pas lui faire peur.

— Bonne petite, dit-il doucement.

Il tendit un peu plus la main et elle sortit complètement du sac, s'avançant à petits pas vers lui. Sa face aplatie remuait tandis qu'elle flairait son chemin et se rapprochait de plus en plus. Elle finit par se cogner le museau sur la main du garçon. Quand il lui caressa doucement la joue, elle sembla se détendre.

Sammy attrapa le sac à dos et en sortit son chandail. Il enleva son tee-shirt mouillé pour enfiler le vêtement sec.

— Ah! C'est beaucoup mieux, annonça-t-il.

Il sentit sa manche.

— Ça sent même le chiot. Hmmm!

— Hé! s'exclama Charles. Elle a une médaille. Peut-être que nous allons connaître son nom.

Il tendit doucement l'autre main, souleva la petite chienne et la déposa sur ses genoux pour la caresser.

— Tu vois? dit-il. Je ne vais pas te faire de mal.

Il examina la médaille rouge en forme de cœur qui pendait du collier rose.

— Je ne vais pas te faire de mal, Lola.

— Lola, répéta Sammy. J'aime ce nom.

À ce moment-là, la porte du sous-sol s'ouvrit. David descendit en traînant les pieds, suivi de son père qui avait un air très sérieux. Charles attira Lola plus près de lui et tenta de la cacher dans son chandail. Sammy bondit sur ses pieds et se plaça entre Charles et les escaliers, arborant un air qui semblait dire « Un chiot? Quel chiot? »

— Ça va, fit David. Mon père sait tout. Le propriétaire de Lola a déjà téléphoné.

CHAPITRE CINQ

En descendant les marches, le père de David secoua la tête.

— Les garçons, les garçons, à quoi avez-vous pensé? demanda-t-il.

— Je te l'ai dit, papa, expliqua David. Elle était effrayée. Elle aurait été complètement trempée si nous ne l'avions pas prise avec nous. Elle aurait même pu être frappée par un éclair ou autre chose. Peut-être que nous lui avons sauvé la vie!

À la vue de la chienne, le visage du père de David s'adoucit.

— Oh! Elle est vraiment minuscule, fit-il.

— C'est ce que j'essayais de te dire, répondit David.

— Tout de même, continua son père, on n'a pas le

droit de prendre les animaux des autres. Heureusement pour vous, son propriétaire ne semblait pas trop fâché quand il a téléphoné. Il a dit qu'il était content de savoir qu'elle était en sécurité.

Charles se dit qu'il avait bien fait de laisser une note.

— Que devons-nous faire, maintenant? s'enquit Charles. Est-ce qu'il veut la ravoir?

— Il veut qu'on la ramène chez lui. J'ai l'étrange impression qu'il est peut-être à la recherche d'un nouveau foyer pour… comment s'appelle-t-elle?

— Lola, répondit Charles.

Son cœur battait la chamade. Est-ce que Lola était sur le point de devenir le nouveau chiot dont sa famille prendrait soin? Ce serait génial. Il était déjà un peu sous le charme de ces drôles d'oreilles de chauve-souris. Elle était timide, mais il savait comment l'aider. Sa famille avait déjà accueilli un autre chiot craintif : Titan, un grand danois. C'était un géant aux manières douces qui avait peur de son ombre. Charles l'avait aidé et il avait la certitude de pouvoir aider Lola aussi.

— Je suis presque sûr que ma famille la prendrait, annonça Charles. Mais peut-être que je devrais téléphoner à ma mère avant que nous allions voir le propriétaire de Lola, par précaution.

— Bonne idée, répondit le père de David en plongeant la main dans sa poche. On fait un échange?

Il tendit son téléphone à Charles qui le laissa prendre Lola.

Pendant que Charles expliquait toute l'histoire à sa mère, David, son père et Sammy s'assirent sur les matelas bleus et laissèrent Lola explorer les environs. La chienne semblait un peu plus confiante. Elle faisait le tour du cercle qu'ils formaient et reniflait tout ce qui se trouvait sur son passage. Quand elle flaira la main de David, elle se mit même à remuer la queue.

— Donc, je peux dire au propriétaire que nous allons nous occuper de Lola? finit par demander Charles à sa mère.

Mme Fortin n'avait pas été contente d'apprendre que Charles et ses amis avaient pris le chien de quelqu'un d'autre et elle avait interrompu son fils plus d'une fois pour le lui faire savoir.

Elle soupira, mais Charles savait ce que cela signifiait : « oui », à condition que M. Fortin soit aussi d'accord. Et il l'était toujours. Charles fit un grand sourire et dit à sa mère qu'il la rappellerait dès qu'il en saurait davantage. Puis il regarda ses amis et leva le pouce en l'air.

— Nous pouvons la prendre! annonça-t-il.

— Pas si vite, dit le père de David.

Il prit Lola dans ses bras et se releva.

— Nous devons d'abord aller voir son propriétaire.

Dehors, l'orage était terminé, mais le ciel était toujours couvert de nuages bas et sombres. Ils s'entassèrent tous les quatre dans la minuscule voiture rouge des parents de David. Tandis qu'ils se dirigeaient vers la maison bleue de la rue des Érables, David tenait Lola sur ses genoux. L'endroit n'avait plus l'air désert : quelques stores étaient ouverts et une camionnette blanche portant l'inscription *Robert Plomberie et Chauffage, Service fiable 24 h sur 24* était stationnée devant le garage. Charles savait ce que *fiable* signifiait : cela voulait dire que ce plombier était une personne sur qui on pouvait compter. Mais il n'était pas convaincu que ce Robert soit aussi fiable avec les chiens.

— Il doit être très occupé, dit le père de David. Les plombiers sont toujours en train de courir. Ils passent leur temps à répondre à des urgences.

Ils cognèrent à la porte.

— Lola! s'exclama l'homme qui ouvrit.

David lui tendit doucement l'animal.

— Je suis tellement désolée, ma belle, murmura l'homme en serrant le chiot contre sa poitrine.

Pendant un moment, ils restèrent tous là sans bouger. Puis l'homme sembla se rappeler qu'il n'était pas seul.

— Entrez, entrez. Je suis Robert Fréchette. Merci d'avoir protégé Lola de l'orage.

Le père de David serra la main de Robert, puis

présenta les trois garçons.

— Ils n'ont pas voulu vous faire peur en la prenant, expliqua-t-il. Ils étaient seulement inquiets pour elle.

M. Fréchette acquiesça.

— Je m'inquiète pour elle aussi. Mon épouse et moi l'avons depuis quelques mois et nous l'adorons. Je veux dire, regardez-la. Elle est tellement mignonne. Mais mon épouse est sergente dans l'armée et elle a été appelée pour partir en Afghanistan la semaine dernière. Elle risque d'y rester pendant deux ans.

Quand il prononça cette phrase, sa voix s'étrangla. Il enfouit son nez dans la fourrure de Lola.

— Ce doit être difficile, fit le père de David.

— Oui, en effet. Et je ne sais pas du tout quoi faire de Lola. Elle a toujours été timide, mais depuis que mon épouse est partie, c'est encore pire. Je ne peux pas l'emmener avec moi dans le camion parce qu'elle a peur de tout. Et si je la laisse seule à l'intérieur, elle panique. Quand les gens m'appellent pour une urgence, je ne peux pas refuser. Donc, je la laisse à l'extérieur pendant que je vais réparer les chaudières brisées et les tuyaux qui fuient.

Il baissa la tête et ajouta :

— Je sais que ce n'est pas une solution parfaite, mais je ne vois pas ce que je pourrais faire d'autre. Je viens tout juste de créer mon entreprise, je n'ai pas les moyens de payer quelqu'un pour la garder.

Charles prit la parole.

— Ma famille accueille des chiots, commença-t-il. Nous ne pouvons pas prendre soin de Lola pendant deux ans, mais nous pourrions nous en occuper un moment et vous aider à lui trouver un bon foyer, si c'est ce dont elle a besoin.

M. Fréchette resta silencieux un instant. Puis il secoua la tête et laissa échapper un long soupir.

— Je ne sais pas, fit-il.

CHAPITRE SIX

— Et alors, qu'est-ce qui s'est passé? demanda M. Lazure en se penchant vers l'avant, impatient d'entendre la suite de l'histoire que Charles et ses amis étaient en train de raconter.

On était lundi et c'était l'heure du partage. Tout le monde était emballé par l'histoire du sauvetage de Lola.

— Alors, il a dit oui, répondit Charles. Il a dit qu'il valait mieux que ma famille la prenne. Il avait l'air vraiment triste. Je crois même qu'il pleurait un peu.

Charles revoyait le visage crispé du plombier quand il avait baissé les yeux vers la petite chienne dans ses bras.

— Et qu'est-ce qui va se passer quand son épouse

va revenir? demanda Corine, une élève de la classe.

— Il pense que ce serait mieux de repartir à zéro, avec un nouveau chiot, dit Charles. Il veut donc que nous trouvions un foyer à Lola.

— Moi, moi, moi! s'exclama Lucie en levant la main bien haut.

Lucie était presque aussi folle des chiens que Rosalie.

— Elle a l'air si mignonne.

M. Lazure éclata de rire.

— Je pense que tes parents diraient que tu as déjà assez d'animaux de compagnie, fit-il.

Lucie et sa famille possédaient presque autant d'animaux qu'un zoo : trois chiens, un couple de cochons d'Inde, un clapier plein de lapins, un poulailler rempli de poules et même cinq moutons. Le matin, elle avait toujours une foule d'histoires à raconter au sujet de poules qui pondaient des œufs à des endroits bizarres, de moutons qui mangeaient trop et avaient ensuite mal au ventre et de cochons d'Inde qui s'échappaient de leur cage.

— Je ne pense pas que Lola soit prête pour une nouvelle famille, dit Charles. Elle est vraiment timide. Rosalie croit qu'elle n'est pas assez sociable, c'est-à-dire qu'elle n'a pas rencontré suffisamment de nouvelles personnes ni d'autres chiens, et qu'elle n'est pas habituée à fréquenter des endroits différents. Ma sœur dit que les chiens doivent vivre des dizaines de nouvelles aventures chaque semaine quand ils sont petits. S'ils ne le font pas, ils risquent de devenir très craintifs et d'avoir du mal à s'habituer à la nouveauté, comme Lola ou Titan, le grand danois que ma famille a déjà accueilli.

— Est-ce que Rosalie connaît la race du chiot? s'informa M. Lazure.

Toute la classe savait que la sœur de Charles était experte en races.

— Elle dit que Lola est un bouledogue, répondit Charles, et qu'elle ne deviendra jamais très grosse, mais qu'une fois sa timidité surmontée, elle sera sûrement rigolote, parce que cette race est connue pour son côté comique.

— Eh bien, jusqu'à maintenant, tout semble bien se passer, fit M. Lazure en regardant sa montre.

L'heure du partage était quasi terminée. L'histoire de Charles avait occupé presque toute la période.

— Mais j'espère, les garçons, que vous ne prendrez pas l'habitude d'enlever les animaux de compagnie des gens.

— Non, non, dit Sammy.

David secoua la tête.

— C'est aussi ce que ma mère a dit, ajouta Charles.

M. Lazure hocha la tête.

— Bon, s'il n'y a rien d'autre à partager d'urgence, nous allons maintenant travailler sur nos projets. Veuillez tous rejoindre votre équipe. Nous irons à la bibliothèque plus tard dans la matinée. Réfléchissez donc aux recherches que vous devrez faire.

Sammy, David et Charles rapprochèrent leurs pupitres et se mirent à discuter de leur présentation. Ils avaient déjà beaucoup d'informations, mais ils devaient en apprendre davantage sur les animaux de l'Ouest, la cartographie et les coutumes des cinquante tribus amérindiennes rencontrées au cours de l'expédition. Ils faisaient toutes les recherches ensemble. Ensuite, Charles, qui aimait écrire, rédigerait le texte. David, qui excellait en arts plastiques, illustrerait la présentation. Et Sammy, qui aimait parler en public et attirer l'attention, ferait l'exposé oral.

— Et pas de blagues! lui rappela Charles.

Il savait que Sammy pouvait difficilement parler cinq minutes sans raconter une blague idiote ou une devinette.

— C'est sérieux, ajouta-t-il.

— Peut-être juste une ou deux bonnes blagues, répondit Sammy. Mon père dit que ça permet de garder l'attention du public.

Charles et David se regardèrent, puis haussèrent les épaules en levant les yeux au ciel. Sammy allait plaisanter, peu importe ce qu'ils diraient.

M. Lazure passa les voir.

— Comment ça se passe? s'enquit-il. Avez-vous besoin d'aller à la bibliothèque?

M. Lazure les encourageait à chercher à la fois dans les livres et sur Internet. Selon lui, il fallait qu'ils se familiarisent avec ces deux types de recherches.

Charles hocha la tête. Il montra à M. Lazure son cahier déjà rempli d'informations.

— Je m'occupe du texte, dit-il.

— Non, décréta M. Lazure en secouant la tête.

— Quoi? demanda Charles.

— Comme ce module porte sur les explorateurs, je veux que chacun de vous *explore* de nouveaux apprentissages, expliqua M. Lazure. Vous devez faire autre chose que ce dans quoi vous excellez. Donc, Charles, tu vas t'occuper du dessin pour ton équipe.

Le garçon sourcilla.

— Mais je ne sais pas dessiner! lança-t-il. Mes chiens ressemblent à des hippopotames et mes personnages à des arbres.

M. Lazure haussa les épaules.

— Je suis certain que tu vas trouver une bonne

façon d'illustrer le texte que Sammy va rédiger, continua-t-il.

Sammy haussa brusquement les sourcils.

— Moi? couina-t-il. Écrire?

Charles savait que Sammy évitait l'écriture autant que possible. Il n'était vraiment pas très doué en orthographe. Son écriture était illisible et il ne comprenait rien à la ponctuation.

— Oui, toi, répondit M. Lazure. Et quant à toi, David...

David secoua la tête.

— Non, ne m'obligez pas à le faire, supplia-t-il.

— Oui, tu vas te charger de l'exposé oral, termina M. Lazure.

David grogna et posa la tête sur son pupitre.

Quand Charles avait connu David, ce dernier était presque aussi timide que Pistache. Il avait fait des progrès, mais il détestait encore parler devant d'autres personnes que Sammy et lui. Lorsque M. Lazure le nommait en classe, il rougissait toujours. Il arrivait à peine à articuler une réponse, même quand il s'agissait de quelque chose de simple, comme la réponse à un problème mathématique (David excellait en maths) ou la bonne façon d'épeler un mot (il obtenait toujours cent pour cent à ses dictées).

M. Lazure tapota le dos de David.

— Vous allez tous vous en sortir, promit-il. Rappelez-vous que vous êtes de courageux explorateurs qui vont découvrir des contrées encore inconnues.

Puis il s'en alla en souriant.

— On est fichus! s'exclama Sammy.

— C'est la catastrophe, ajouta Charles.

David ne releva même pas la tête. Il se contenta de grogner une nouvelle fois.

CHAPITRE SEPT

— On est fichus, répéta Sammy plus tard dans l'après-midi.

Les trois amis étaient réunis chez Charles. Ils s'y étaient rendus après l'école pour travailler sur leur projet, car ils voulaient tous revoir Lola. La grande table de cuisine des Fortin était idéale pour étaler des documents et travailler.

Sammy jeta son crayon sur la table.

— J'ai déjà effacé ce mot cinq fois, se plaignit-il. J'ai fait un gros trou dans la feuille. Comment est-ce qu'on écrit le mot expédition?

Charles soupira.

— Je sais épeler ce mot, mais certainement pas l'illustrer, dit-il en montrant sa feuille.

Il avait tenté de dessiner Lewis et Clark en train de remonter la rivière Missouri à bord de leur embarcation chargée. On aurait dit un dessin du Haricot.

— Ça ne fait rien, commença David. Nous allons échouer de toute façon, puisque je ne serai même pas capable d'ouvrir la bouche vendredi. Un exposé de dix minutes devant toute la classe! Je n'arrive pas à croire qu'il me demande de faire ça.

Encore une fois, il posa la tête sur la table et grogna.

— Au secours, Lola, supplia-t-il.

Puis il se mit à rire.

— Non, Lola! Je ne t'ai pas dit de me lécher les oreilles. Je t'ai dit de m'aider.

Lola remua la queue et continua de le lécher.

Oups, désolée. Tes oreilles sont juste trop délicieuses.

Elle se blottit sur les genoux de David. Elle semblait s'y sentir en sécurité. Pourtant, la mère de

Charles leur avait dit qu'elle avait été vraiment craintive toute la journée.

— Elle ne s'assiérait pas sur moi comme ça, fit Mme Fortin en apercevant Lola. Elle a peur de l'aspirateur, du Haricot, de Biscuit, des jouets de Biscuit... J'ai essayé d'être la plus douce possible avec elle, mais on dirait qu'elle n'arrive pas à se calmer ici. Mon mari a même emmené Biscuit avec lui à la caserne aujourd'hui pour lui donner de l'espace. Mais elle continue d'être très nerveuse. Si elle n'arrive pas à s'adapter, nous devrons peut-être téléphoner à Mme Daigle.

Charles sentit un frisson lui parcourir l'échine.

— Non! s'écria-t-il.

Non pas que Mme Daigle fut méchante. Elle était au contraire très gentille et elle dirigeait le refuge pour animaux de la région : les Quatre Pattes. C'était un endroit formidable où les chiens et les chats étaient très bien traités. Mais cela n'aurait pas convenu à un chiot aussi minuscule et aussi timide que Lola.

Mme Fortin haussa les épaules.

— On verra, conclut-elle.

Elle alla dans la cuisine, puis repassa dans la salle à manger, un café à la main, pour se diriger vers l'étage où se trouvait son bureau. Comme elle était journaliste, elle travaillait beaucoup à la maison.

— Pour l'instant, Lola semble tout à fait heureuse, fit-elle remarquer en souriant.

On ne voyait que les deux oreilles de chauve-souris de la petite chienne dépasser de la table.

— Mais vous, pas du tout. Qu'est-ce qui se passe?

— M. Lazure nous a dévoilé son plan diabolique aujourd'hui, répondit Charles. Il veut que nous fassions tous des choses que nous détestons ou que nous n'arrivons pas à faire.

Il se recula pour que sa mère voie le dessin sur lequel il travaillait.

— Est-ce que c'est un hippopotame? demanda-t-elle en inclinant la tête. Je pensais que vous aviez choisi Lewis et Clark sur la rivière Missouri, pas Stanley et Livingston en Afrique.

Charles soupira.

— Vous voyez? lança-t-il à l'intention de ses amis. Même ma mère pense que je ne sais pas dessiner.

— Ce n'est pas ce que… commença Mme Fortin.

— Ma mère pense la même chose de mon écriture, fit Sammy.

— Et mes parents savent très bien que je suis incapable de parler en public, ajouta David.

— Mais vous êtes tous des garçons intelligents et talentueux, rétorqua Mme Fortin. Je crois que M. Lazure a raison. Si vous explorez un peu de nouvelles possibilités, je suis sûre que vous trouverez comment rendre ce travail extraordinaire.

Elle leur expliqua qu'il lui arrivait de ne pas du tout savoir comment commencer un article.

— Alors, j'essaie d'une façon, puis d'une autre. Parfois, je commence par la fin, puis je reviens au début. Ou je commence carrément au milieu. D'autres fois, j'arrête d'écrire et je fais un peu de yoga. Une fois la tête en bas, il m'arrive d'avoir une idée de génie.

Sammy se leva d'un bond et essaya de faire le poirier. Ses pieds cognèrent le mur de la salle à dîner, ce qui déplaça trois photos.

— Ça ne m'aide pas, dit-il d'une voix étrange.

David et Charles prirent place à côté de Sammy. Pendant que les deux garçons essayaient de faire le poirier, Lola léchait le visage de David.

Mme Fortin éclata de rire.

— Je ne voulais pas nécessairement dire que vous deviez tous vous mettre sur la tête, précisa-t-elle. Je vous conseillais juste d'essayer de voir les choses sous un angle différent.

Elle reprit son café et se dirigea vers l'escalier.

— Bonne chance! lança-t-elle par-dessus son épaule tandis que les trois garçons retombaient bruyamment sur le plancher.

Ils y restèrent un moment pour reprendre leur souffle. Pourquoi était-ce si dur de se tenir sur la tête?

— D'accord, fit Sammy. J'essaie de penser autrement. M. Lazure n'a pas dit que le travail devait être écrit à la main, hein? Si je le tape sur l'ordinateur de mon père, je pourrai utiliser le correcteur et personne n'aura à déchiffrer mon écriture.

Charles roula jusqu'à son ami et lui tapa dans la main.

— Bonne idée, dit-il. À mon tour. Je pourrais calquer une des cartes de l'expédition de Lewis et Clark et l'agrandir? Je pourrais aussi dessiner une ligne du temps dans le bas et ajouter quelques symboles pour indiquer les arbres, les montagnes ou les rivières. Je n'aurais pas vraiment à dessiner, mais ce serait quand même une illustration.

Il fut soudainement très impatient de se mettre au travail. Il avait déjà une image en tête. La carte serait géniale.

— Waouh! on dirait que le poirier a fonctionné, dit David en se frottant la tête. J'ai une idée aussi. Je pense que Lola devrait rester chez moi.

— Quoi? demanda Charles en dévisageant son ami.

David haussa les épaules.

— Pourquoi pas? Il y a toujours de l'action ici. Chez moi, c'est tranquille. Et on dirait que Lola m'aime bien.

Il rougit.

— Je sais que ma famille n'est pas officiellement une famille d'accueil comme la tienne, mais je pense que nous pourrions nous occuper d'un tout petit chien.

Charles hocha lentement la tête. David avait raison.

— Penses-tu que tes parents seraient d'accord? dit-il.

David acquiesça.

— Mon père est déjà fou d'elle. Si je promets de m'occuper de tout et de garder Lola et Pistache séparés, il va réussir à convaincre ma mère.

Sammy prit la parole.

— C'est une bonne idée… à part un détail. Où est Lola?

Charles balaya la pièce du regard. Aucune trace du chiot noir et blanc.

CHAPITRE HUIT

— Nous avons dû lui faire peur quand nous sommes retombés sur le plancher, avança Charles.

Il se releva et se dirigea vers le salon en appelant Lola.

— Hum... elle n'est pas là, annonça-t-il.

— Pas ici non plus, ajouta Sammy qui était allé vérifier dans l'entrée. Allez, où que tu sois, sors de ta cachette!

— Lola, fit David tout doucement. Où es-tu, ma belle?

Charles se rappela que le propriétaire de Lola avait aussi utilisé ces mots. Peut-être qu'en les entendant, elle viendrait.

Mais il n'y eut aucun mouvement.

Charles alla dans la cuisine.

— Lola? dit-il. Es-tu ici?

Jusqu'à présent, elle était restée à l'écart de cette pièce bourdonnante d'activités qui semblait l'effrayer. Charles l'avait même nourrie sur la terrasse, où c'était plus calme. La terrasse! Il se précipita vers la porte-fenêtre.

— La porte est un peu ouverte, constata-t-il. Elle a dû se sauver dans le jardin. Heureusement qu'il y a une clôture.

Les garçons sortirent sur la terrasse. Pas de Lola. Ils firent le tour du jardin en prenant soin de vérifier sous les rosiers et derrière le bac à compost que Mme Fortin venait d'installer. Toujours pas de Lola.

— Où peut-elle bien être allée? demanda Charles après s'être assuré que la clôture était bien fermée.

Lola était si petite. Il n'osait pas l'imaginer en train d'errer toute seule dans le vaste monde.

— Peut-être qu'elle n'est pas sortie, en fait, dit David. Je vais retourner chercher à l'intérieur.

Sammy et Charles refirent le tour du jardin et

vérifièrent encore une fois partout.

— Elle n'est plus là, dit David. C'est comme si elle avait... disparu.

Charles sentit son estomac se nouer. Sa famille était très responsable. Mais ce n'était pas la première fois que les Fortin perdaient un chiot. Il se rappela Zigzag, ce teckel nain qui était maître dans l'art de l'évasion. Lui aussi avait disparu. Et Charles avait passé des jours à le chercher. Ils avaient fini par le retrouver, mais ça n'avait pas été simple.

— Je l'ai! s'exclama David, de retour sur la terrasse.

Charles leva les yeux et aperçut son ami qui tenait tendrement la petite chienne dans ses bras. Il sourit. Quel soulagement!

— Où était-elle? demanda-t-il après être remonté sur la terrasse pour caresser Lola.

— Sous le canapé, répondit David. Comme Pistache. Elle n'a pas osé sortir quand nous l'avons appelée. Je me suis assis et suis resté sans bouger, puis je l'ai appelée encore. Au bout d'une minute, elle s'est montrée.

Il enfouit son visage dans la fourrure de Lola.

— Tu vois? Elle a vraiment besoin d'un endroit plus calme.

Lola se blottit dans les bras de David, puis allongea le cou pour lui lécher la joue.

Je me sens en sécurité avec toi.

Charles ressentit une pointe de jalousie. Pourquoi Lola préférait-elle David? Il aurait aimé que la petite chienne se blottisse ainsi dans ses bras à lui. Mais l'important, c'était qu'elle soit heureuse.

— J'imagine que tu as raison, dit-il.

Une heure plus tard, les trois garçons et Lola étaient chez David.

— J'ai enlevé le lit de Pistache du sous-sol, annonça le père de David. Vous allez pouvoir passer du temps en bas. Hein, ma belle?

Sa voix était aussi douce que celle de David.

— Je suis heureux que tu restes un moment avec nous, ajouta-t-il en caressant la minuscule tête de Lola.

Charles avait apporté tout le matériel dont il avait besoin pour sa carte : papier calque, crayons de couleur, gomme à effacer et papier supplémentaire. Il les étala sur un des matelas bleus. Pendant que Sammy et David jouaient avec Lola, il traça soigneusement la route suivie par Lewis et Clark à partir d'un livre qu'ils utilisaient pour leurs recherches. Là se trouvaient la rivière Missouri, puis les grandes chutes, les Rocheuses, les vallées, les montagnes Bitterroot (où les membres de l'expédition avaient failli mourir de faim), les rivières Clearwater, Snake et Columbia, et enfin l'océan Pacifique. Quel périple incroyable! Le fait d'en dessiner chaque étape le rendait encore plus réel.

Sammy vint jeter un œil par-dessus l'épaule de son ami.

— Génial! s'exclama-t-il. Nous devrions dessiner une carte semblable, mais de notre propre expédition.

Il s'étendit à côté de Charles, prit une feuille et se mit à dessiner.

— Nous avons remonté le ruisseau de ce côté, commença-t-il. Puis nous avons entendu Lola et nous avons pénétré dans la forêt, vers le peuplement.

Attirée par le grattement du crayon, Lola s'approcha pour voir ce qui se passait. Elle flaira le sol jusqu'à Sammy, les yeux rivés sur les mouvements du crayon.

Qu'est-ce qui se passe ici? Je suis curieuse.

— Waouh! Elle est déjà plus confiante, dit Sammy alors que Lola se rapprochait.

Il cessa de dessiner et tendit doucement la main pour qu'elle la flaire. Lola s'assit sur son minuscule derrière et laissa Sammy lui caresser la tête. Ses grandes oreilles de chauve-souris montaient et descendaient au rythme des mouvements du garçon.

— Je pense que tu avais raison, David. On dirait qu'elle se sent bien, ici.

Charles acquiesça.

— Peut-être que ta famille devrait aussi accueillir des chiots, proposa-t-il.

David baissa les yeux.

— Peut-être, répondit-il. Si nous restons une famille...

Charles et Sammy restèrent muets quelques instants.

— Tes parents se disputent encore? finit par demander Sammy.

David secoua la tête.

— Non, pas vraiment. Je les ai même surpris à s'embrasser dans la cuisine, ce matin.

Il grimaça.

— Mais les choses sont encore étranges. Il y a quelque chose qu'ils ne me disent pas. Ça va aller, fit-il en haussant les épaules. Voyons ces cartes.

Charles tourna son dessin pour que David puisse le voir. Les trois garçons examinèrent les cartes. Lola s'était installée au beau milieu, allongée sur le chandail que Charles avait enlevé. Celui-ci devait admettre qu'elle semblait beaucoup plus heureuse et à l'aise chez David. Alors qu'il allait en faire part aux autres, Lola bondit sur ses pattes et fonça vers l'escalier.

— Qu'est-ce... commença Charles.

Puis il aperçut Pistache, qui s'invitait en bas à la recherche de son lit confortable près de la chaudière. La chatte jeta un coup d'œil sur le chiot qui courait vers elle, puis rebroussa chemin. Elle remonta en un éclair. Lola revint en se dandinant vers Charles et ses amis.

Oui, j'ai déjà eu peur des chats, mais plus maintenant.

Lola se jeta sur le matelas, puis roula sur elle-même, comme pour demander à David de lui gratter le ventre en signe de victoire.

— Quel petit clown! Elle commence à montrer sa personnalité, déclara Charles.

— C'est une vraie rigolote, renchérit Sammy.

— Gentille petite, dit David en caressant Lola.

Il se tourna vers ses amis et ajouta :

— Si elle peut affronter Pistache, j'imagine que je peux affronter la classe le temps d'un exposé oral. Nous allons faire ça comme des pros!

Il leva les deux mains et ses deux amis les tapèrent avec enthousiasme.

CHAPITRE NEUF

— Voyons ce que ça a donné, dit Sammy en pointant le doigt vers la carte roulée que Charles avait transportée avec soin jusqu'à l'école.

On était maintenant vendredi, le jour de la présentation. Plutôt que de jouer au kickball dehors jusqu'à ce que la première cloche sonne, tous les élèves étaient dans la classe à finaliser leur travail. L'excitation était à son comble.

— Ne devrions-nous pas attendre David? demanda Charles.

— Il sera là dans une minute, répondit Sammy. Allez! Montre-la-moi.

Charles déroula la grande carte sur leurs deux pupitres. Il en était très fier. Sa mère l'avait accompagné aux bureaux du journal pour lequel elle travaillait et l'avait aidé à agrandir la carte qu'il avait dessinée. Elle ressemblait un peu à celles que l'on voyait dans les musées. Un vrai travail de professionnel!

— Waouh! lança Sammy. C'est super!

Il suivit du doigt le trajet de l'expédition.

— Tout est indiqué. Pas si mal pour quelqu'un qui ne sait pas dessiner, ajouta-t-il avec un grand sourire.

Charles sourit en retour.

— Montre-moi ton travail, demanda-t-il.

Sammy ouvrit son sac à dos et en sortit une chemise cartonnée rouge.

— Mon père m'a aidé à faire des lettres spéciales pour la couverture, dit-il.

— C'est beau, déclara Charles.

Avec son titre en grosses majuscules noires, « Lewis et Clark : la mission d'exploration », le travail semblait très officiel. Charles l'ouvrit et lut silencieusement le premier paragraphe.

— C'est excellent, dit-il une fois qu'il eut terminé. Et il n'y a pas d'erreurs d'orthographe.

Sammy rougit.

— Merci, répondit-il. C'est grâce au correcteur. Et ma mère m'a aussi un peu aidé avec la ponctuation.

— Nous sommes vraiment prêts, affirma Charles en cognant son poing contre celui de Sammy. Et David va bien se débrouiller.

— Hum... fit Sammy en regardant vers le fond de la classe par-dessus l'épaule de Charles. Je n'en suis pas si sûr. Il n'a pas l'air très heureux ce matin.

Charles se retourna et aperçut son ami qui se dirigeait vers eux. Il avançait péniblement, les épaules voûtées et la mine inquiète.

— David! Ne prends pas cet air sérieux, lança Charles. Ça va bien se passer. Ce n'est qu'un petit exposé oral.

David haussa les épaules.

— Ce n'est pas l'exposé qui m'inquiète, répondit-il. C'est ça.

Il lança quelque chose sur le pupitre. On aurait dit

une carte routière.

— Ce matin, Lola devait s'ennuyer pendant que je déjeunais. Elle a trouvé ce truc et a commencé à le détruire. Je le lui ai enlevé avant qu'elle n'ait le temps de le massacrer complètement.

Charles remarqua que les coins étaient très abîmés.

— Tu as peur que Lola ait un tempérament destructeur? s'enquit-il. Parce que nous avons déjà accueilli des chiots comme ça. Tu te souviens de Fibi?

Fibi, un terrier de Boston dont les Fortin avaient pris soin, aimait particulièrement s'attaquer aux objets : coussins, jouets et tout ce qui se trouvait à sa portée.

David fit non de la tête.

— Ce n'est pas ça.

— C'est quoi, alors? demanda Sammy.

David déplia la carte et l'étala sur leurs pupitres. C'était une carte du Canada. On y avait tracé un trajet au surligneur jaune. Il partait de Saint-Jean et traversait presque tout le pays jusqu'à Banff, en Alberta.

— Ça explique tout, fit-il.

— Je ne comprends pas, répondit Charles.

— Mon père parle toujours de la période où il habitait dans l'Ouest. Il menait une vie de bohème et passait ses journées à skier. Il adorait vivre là-bas et a toujours voulu y retourner. Mais ma mère préfère vivre ici.

— Vraiment? demanda Sammy. Et alors?

— Et je pense qu'il va retourner là-bas, fit David en repoussant la carte qu'ils regardèrent tous les trois tomber sur le plancher. Sans nous.

Charles ne savait pas quoi dire. Sammy non plus.

M. Lazure s'approcha.

— Tout va bien ici? demanda-t-il. Vous êtes prêts à nous présenter votre travail?

— Nous sommes prêts, firent Sammy et Charles en chœur.

— David? dit-il doucement en regardant le garçon.

David se contenta de hocher la tête.

— Prêt, dit-il en fixant le plancher.

— D'accord, fit M. Lazure en tendant une casquette à l'envers remplie de petits bouts de papier. Tirez un numéro pour savoir quand vous allez faire votre exposé.

Charles plongea la main dans la casquette et prit un morceau de papier, puis le déplia. David et Sammy regardaient par-dessus son épaule. En apercevant le numéro, ils grognèrent tous les trois.

— Nous allons être les premiers, annonça Charles.

— Ça va aller, les rassura M. Lazure. Après, ce sera fini et vous pourrez écouter tranquillement les autres.

Il prit la carte de Charles.

— Je vais accrocher cette magnifique carte au mur pour que tout le monde la voie, ajouta-t-il.

Tandis que M. Lazure s'éloignait, David se laissa tomber sur sa chaise et poussa un long soupir.

Charles ramassa la carte de David, puis s'assit en même temps que Sammy.

— Ne t'en fais pas, dit-il en repliant la carte. Ce

n'est probablement pas ce que tu penses.

— Pour l'instant, concentre-toi sur l'exposé, ajouta Sammy. Rappelle-toi comment Lola a affronté Pistache! Tu peux le faire!

— Je peux le faire, répéta David.

— Et rappelle-toi aussi que ce soir, nous allons célébrer... à la manière des explorateurs, conclut Sammy.

Les garçons avaient prévu de dormir chez David. Ils mangeraient et dormiraient dehors, comme Lewis et Clark. David et son père avaient déjà monté la tente.

— Oui! s'exclama Charles.

— Oui! fit David avec moins d'enthousiasme.

Charles se demanda si David avait raison au sujet de son père. Se pouvait-il qu'il parte? Si c'était le cas, peut-être qu'il en résulterait quelque chose de positif. Peut-être que les parents de David décideraient qu'un chiot serait la distraction parfaite pour leur fils, et qu'ils le laisseraient garder Lola pour toujours.

CHAPITRE DIX

— C'est un vrai festin, capitaine David, déclara Sammy en prenant un autre hot dog. Les cuisiniers de cette expédition sont les meilleurs.

— Je suis d'accord, capitaine Sam, répondit David en garnissant son hot dog de moutarde, de relish et de ketchup. Un vrai festin pour une fête parfaitement réussie. N'est-ce pas, capitaine Charles?

— En effet, acquiesça Charles qui tenait son hot dog en l'air pour éviter que Lola ne l'atteigne.

La petite chienne était installée à côté de lui sur le banc de la table de pique-nique. Sa queue et ses oreilles remuaient, et elle affichait un air attendrissant.

Juste une bouchée? S'il te plaît?

Ce vendredi soir, les trois explorateurs étaient dans le jardin de David. L'air était plutôt frais en cette fin d'automne. Ce n'était pas exactement la température idéale pour les pique-niques, mais les garçons avaient décidé de s'en tenir à leur plan et de souper dehors. Ils avaient toujours l'intention de camper et leurs sacs de couchage étaient dans la tente.

La mère de David avait acheté toute la nourriture, et son père avait allumé un bon feu de camp pour qu'ils puissent faire griller leurs saucisses et leurs guimauves. Bien sûr, Lewis et Clark n'auraient pas mangé de hot dogs ni de guimauves. Les trois amis faisaient donc semblant de manger du bison et des roseaux sauvages.

— Tu as vraiment fait un bon exposé, dit Sammy à David pour la dixième fois. M. Lazure n'arrêtait pas de sourire.

— Je pense qu'il a aimé les blagues que tu as

ajoutées, répondit David. Comme tout le monde, d'ailleurs.

— Et ta carte avait fière allure sur le mur, Charles, continua Sammy.

Leur présentation sur Lewis et Clark avait été la préférée des élèves, non seulement parce qu'ils avaient été surpris de voir David plaisanter devant toute la classe, mais aussi grâce à la carte de Charles et à la façon dont Sammy avait organisé les informations qu'ils avaient trouvées.

— Est-ce que nous allons continuer nos expéditions? demanda Sammy. Je veux dire, maintenant que le travail est terminé?

— Bien sûr, approuva David. Je suis partant. Du moment que Lola peut venir. Maintenant qu'elle n'a plus peur de tout, elle adore partir en exploration.

Quand Lola entendit son nom, elle sauta sur la table et commença à marcher en se dandinant.

Oui, c'est moi, Lola!

Ils éclatèrent de rire. David la prit dans ses bras et la serra contre lui. Elle sortit sa minuscule langue rose pour lui lécher la joue, et il se mit à rire de plus belle.

Charles eut un pincement au cœur. Il se demanda combien de temps la bonne humeur de son ami durerait une fois qu'il saurait la vérité. Le père de David allait réellement partir. Charles l'avait entendu. Juste avant le souper, il était rentré pour aller aux toilettes. Il n'avait pas voulu être indiscret, mais il avait entendu les parents de David discuter dans la cuisine. « Le camion sera là demain matin », avait dit son père.

Cela ne pouvait signifier qu'une chose : un camion de déménagement. Charles était incapable de répéter à son ami ce qu'il avait entendu. David l'apprendrait bien assez tôt.

Depuis, Charles avait l'estomac noué. Il n'était parvenu qu'à avaler quelques bouchées de son hot dog. Il posa une main sur son ventre.

— J'ai vraiment mal à l'estomac, dit-il. Je pense que je vais être malade.

— Est-ce que tu veux toujours dormir dehors? demanda David.

Charles secoua la tête.

— Je ne pense pas, répondit-il. J'aimerais mieux rentrer chez moi.

Soudain, il ne rêva plus que d'être chez lui et de dormir dans son lit. Il n'avait pas du tout envie d'être chez David quand le camion arriverait.

Ce fut la fin du camping. La mère de David appela celle de Charles, puis elle proposa aux garçons de remettre leur nuit à l'extérieur au lendemain.

— Si tout le monde se sent bien, précisa-t-elle.

Sur le chemin du retour, alors qu'il était assis à côté de Sammy sur le siège arrière, Charles se demandait comment David pourrait se sentir bien le jour où son père déménagerait.

Le lendemain, Charles se réveilla en sursaut quand sa mère l'appela :

— Charles, c'est David au téléphone. Il veut te parler.

Il sentit son estomac se nouer. Le camion de déménagement était-il déjà là? C'était sûrement la raison pour laquelle son ami lui téléphonait.

— Est-ce que Sammy et toi pourriez venir chez moi? demanda David quand Charles répondit.

Il ne paraissait pas bouleversé. En fait, il semblait plutôt excité.

— Euh… oui, répondit Charles. Est-ce... est-ce que tout va bien?

— Mes parents m'ont fait toute une surprise, annonça David. Tu vas voir.

Puis il raccrocha.

Charles demanda à sa mère si elle pouvait les conduire, Sammy et lui, chez David. Il téléphona ensuite à Sammy et enfila un jean et un chandail. Le temps qu'il finisse de s'habiller, Sammy était déjà dans la cuisine en train d'engloutir une rôtie tartinée de beurre d'arachide. Sa mère lui en tendit une aussi.

— Vous êtes prêts? demanda-t-elle.

Le camion fut la première chose que Charles aperçut quand ils s'arrêtèrent devant chez David.

Mais ce n'était pas un camion de déménagement... plutôt une immense fourgonnette neuve de couleur bleu vif avec des fenêtres de tous les côtés.

— Joli! s'exclama Mme Fortin. Depuis quand les parents de David ont-ils une fourgonnette de camping?

David sortit en courant de la maison.

— Regardez ce que nous avons acheté! lança-t-il alors que Charles et Sammy descendaient de voiture. Nous allons partir à l'aventure.

Il ouvrit la portière coulissante de la fourgonnette et les garçons jetèrent un coup d'œil à l'intérieur.

— Mon père doit d'abord l'aménager, avec des lits, des toilettes et une cuisine, expliqua David. C'est ce qu'il va faire pendant les prochains mois. Et quand l'été va arriver, nous partirons sur la route. Vers l'ouest, en famille!

Il rayonnait.

— Peut-être même que nous irons aux États-Unis pour suivre les traces de Lewis et Clark.

— C'est vraiment génial. Mais... vas-tu revenir?

demanda Charles.

Tandis qu'il refermait la portière, David prit un air sérieux.

— Eh bien, mes parents disent que ça va dépendre de ce que nous trouverons sur notre chemin. Si nous découvrons un endroit que nous aimons tous beaucoup, nous y resterons peut-être un certain temps. Vous savez à quel point mon père a toujours voulu retourner vivre dans l'Ouest. S'il trouve un bon emploi, ma mère est d'accord pour essayer. Environ un an, disons.

Lola sortit alors en trombe de la maison et se mit à flairer tout autour de la fourgonnette.

Qu'est-ce que c'est que ça? Ça sent curieusement bon.

Elle appuya ses pattes sur le côté du véhicule.

— Elle veut voir à l'intérieur, dit David. Elle veut découvrir sa nouvelle maison.

— Sa nouvelle maison? fit Charles en dévisageant

son ami.

— C'est la meilleure partie de l'histoire, commença David en prenant Lola dans ses bras. Elle vient avec nous! Lola va faire partie de notre propre mission d'exploration.

Il enfouit son nez dans le cou de la petite chienne.

— Mon père l'adore déjà et ma mère trouve qu'elle a la taille parfaite pour cette aventure.

— C'est fantastique! s'exclama Charles.

Lola avait de la chance. Elle allait participer à une très grande expédition. Elle allait avoir une vie plus heureuse et plus excitante que jamais.

— Je veux dire, tu vas beaucoup nous manquer, mais ça va être un super voyage, ajouta Charles.

Sammy hocha la tête et fit mine de donner un coup de poing dans le bras de David.

— Ouais, mais tu dois nous promettre de revenir d'accord?

— C'est promis, dit David en tendant le petit doigt pour le joindre à ceux de ses amis. Explorateurs un jour, explorateurs toujours!

— Explorateurs un jour, explorateurs toujours! s'écrièrent Charles et Sammy.

Lola fit pivoter ses oreilles de chauve-souris et jappa joyeusement.

Et maintenant, que l'aventure commence!

EN SAVOIR PLUS SUR LES CHIOTS

Charles et ses amis ont-ils pris la bonne décision en emmenant Lola avec eux? Nous souhaitons tous aider les animaux qui semblent maltraités. Mais il existe parfois de meilleures façons de le faire. Dans le cas de Lola, les choses se sont bien passées. Mais si tu vois un animal qui paraît laissé à lui-même, tu ne devrais pas t'en mêler comme Charles et ses amis l'ont fait. Tu dois d'abord en parler à un adulte : un enseignant, un de tes parents ou une autre personne de ton entourage. Ensuite, il faut aviser la Société protectrice des animaux. Les responsables vérifieront ce qui se passe et s'assureront que l'animal est en sécurité et bien traité.

Chères lectrices, chers lecteurs,

Un jour, j'aimerais bien parcourir les États-Unis, le Canada et le Mexique dans une fourgonnette et m'arrêter où j'en ai envie pour découvrir des endroits uniques, rencontrer des gens et visiter des amis. Par contre, je ne suis pas convaincue que mon chien Zipper aurait autant de plaisir que moi. Il a besoin de courir tous les jours et il est beaucoup plus gros que Lola. Peut-être que quand il sera plus vieux et plus calme, nous pourrons faire un long voyage ensemble. En attendant, je vais dresser la liste de tous les endroits que j'aimerais visiter!

Caninement vôtre,
Ellen Miles

P.-S. Si tu souhaites découvrir un autre petit chien avec beaucoup de personnalité, lis FIBI.

ISBN:978-1-4431-5128-3

À PROPOS DE L'AUTEURE

Ellen Miles adore les chiens et prend énormément de plaisir à écrire les livres de la collection *Mission : Adoption*. Elle est l'auteure de nombreux livres publiés aux Éditions Scholastic.

Elle habite au Vermont et pratique des activités de plein air tous les jours. Selon les saisons, elle fait de la randonnée, de la bicyclette, du ski ou de la natation. Elle aime aussi lire, cuisiner, explorer sa belle région et passer du temps avec sa famille et ses amis.

Si tu aimes les animaux, tu adoreras les merveilleuses histoires de la collection *Mission : Adoption*.